Katherine
Pancol

Jérôme
ier

Le Ukulélé
qui voulait surfer

hachette
JEUNESSE

Connais-tu l'histoire du ukulélé qui voulait surfer ?
Le ukulélé est une petite guitare à quatre cordes
qui vient de Hawaii.
Il émet des sons vanillés, de coquillages parfumés.
Des notes pour rouler, onduler et se laisser bercer.
Ce n'est pas normal du tout pour un ukulélé
de vouloir chevaucher les vagues.
Mais le ukulélé est obstiné…

Trouve un intrus bizarre
?
dans chaque page !

Il ne veut pas changer d'idée.

« Viens creuser avec nous, disent les petites tortues.

On fait un château de sable.

– Non merci, je veux aller courir dans les flots.

– N'importe quoi ! Tu es un ukulélé. Tu ne vas pas dans l'eau !

– Attention, danger ! » crie une petite tortue.

Et elles courent se cacher derrière les rochers.

Elles ont aperçu Kahoku, le crabe. Il avance en pas chassés.

Il agite ses pinces, pince en bas, pince en haut.

Ça fait peur aux tortues, il trouve ça rigolo.

« *Aloha** ukulélé, ça ne va pas ? Tu fais une tête de noix de coco !

– C'est que… je voudrais surfer ! Et tout le monde se moque de moi.

– Ils ont raison. T'as pas de bras, t'as pas de pieds, tu tiendras pas debout.

– C'est mon rêve ! Et j'y tiens plus que tout ! »

Et pour montrer qu'il ira jusqu'au bout,

il fait sonner trois accords qui réveillent…

* *Aloha* signifie « Salut ! » à Hawaii.

… une mangouste paresseuse suspendue à la branche d'un eucalyptus.

« *Aaaalooohaaa*, bâille la mangouste.

Pourquoi ce raffut au bas de mon arbre ?

– C'est le ukulélé, rit Kahoku, il est fou !

Il veut apprendre à surfer !

– Tu ne veux pas faire une sieste, plutôt ?

– Je déteste la sieste ! dit le ukulélé.

– Alors va voir Moana, c'est elle qui fabrique
les meilleures planches de l'île, et laisse-moi ronfler.

– Très bonne idée ! »

Dans son atelier, Moana ponce une planche pour la faire briller.

« *Aloha*, petit ukulélé ! Que veux-tu ?

– Je veux surfer, bien entendu ! »

Les planches rangées contre le mur éclatent de rire.

« Il est fêlé ! Il va couler, ce ukulélé ! »

Le ukulélé ne veut rien écouter. Il a une autre idée :

il va demander conseil au très grand, au très puissant,

à celui que personne n'ose déranger…

Vous n'allez pas en croire vos oreilles !

Écoutez bien !

« *Aloha*, volcan très puissant ! » Il l'appelle en faisant vibrer ses cordes.

Le volcan crache un petit nuage de fumée en guise de bonjour.

« Tu m'appelles ? gronde-t-il d'une voix qui fait trembler la terre.

– Vous qui êtes si sage, si ancien, vous qui savez tout,

pouvez-vous m'apprendre à surfer ?

– Moi, je sais CRACHER du feu. Je peux te montrer, si tu veux !

– Non ! Non ! surtout pas ! C'est trop dangereux ! »

Trop tard…

Le volcan gonfle, gonfle, il devient tout rouge. Il tonne, il bouillonne,
il lance des boules de feu, il partage l'Océan en deux.
Les vagues deviennent aussi hautes que six palmiers empilés.
Elles emportent tout sur leur passage et ravagent la plage.

« Arrête, volcan ! crie le ukulélé.

Je t'en supplie, calme-toi ! »

Le volcan hoquette, souffle un dernier nuage de fumée :

« Impressionnant, n'est-ce pas ? »

Le ukulélé regarde autour de lui. C'est épouvantable !

Il entend une petite voix gémir.

« Maman, je veux ma maman ! »

C'est un baleineau qui s'est perdu et qui pleure, apeuré.

« T'en fais pas ! On va la retrouver, je te promets ! dit le ukulélé.
Chante-moi la berceuse qu'elle te fredonne le soir. »
Et le baleineau, secoué de sanglots,
chuchote les notes de sa maman adorée.
Le ukulélé, pour le consoler, lui joue une mélodie
pleine de si et de mi, de notes qui sourient.

La baleine au loin l'entend
et pousse un long gémissement.
Elle déchiffre les notes.
Ça fait comme un chemin…

… qui la mène à son petit.

Il se blottit contre elle et lui fait un gros câlin.

La baleine demande au ukulélé :

« C'est toi dont tout le monde parle ? C'est toi qui veux surfer ?

– Oui, mais laissez tomber, je suis trop petit.

– Mais non, j'ai une idée ! »

« Saute sur mon dos. Je t'emmène fendre les flots ! »
Et voilà, notre ami le ukulélé,
bien droit sur le dos de la baleine.

Dans les vagues, il décolle, il glisse, il s'envole !
Il est heureux, heureux, heureux.

Il joue une chanson qui parle de volcans,
de baleines, d'îles lointaines.
Et tous les surfeurs de l'île viennent chanter avec lui.
Ils dansent dans le ciel et le soleil.
Si tu as un rêve auquel personne ne croit,
pense au petit ukulélé et n'abandonne pas.
Aloha !

Où était caché l'intrus?

 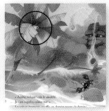 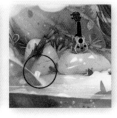  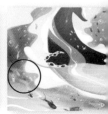